Las pinturas de Mireya Robles

Mireya Robles

The paintings of Mireya Robles

Editors: Anna Diegel & Olaf Diegel
Composición y realización técnica: Olaf Diegel
Fotografías : Bárbara Pérez, Anna Diegel, Mireya Robles
Fotografía de Mireya Robles : Maya Islas

Editors: Anna Diegel & Olaf Diegel
Compilation and technical layout: Olaf Diegel
Photographs: Bárbara Pérez, Anna Diegel, Mireya Robles
Cover photograph of Mireya Robles: Maya Islas

Published by K&L Publishing
www.cds.co.nz/kandl

ISBN: 978-0-473-11577-7

Acknowledgements

En este proyecto de dar a conocer la obra pictórica de Mireya Robles me apoyaron varias personas, tanto con ayuda práctica como con ideas para el mejoramiento del álbum. Le debo agradecimientos especiales a Olaf Diegel, quien desde Nueva Zelanda organizó la parte técnica del libro. También fue él quien sugirió el uso de citas de la obra literaria de Mireya Robles. Otras personas que me ayudaron fueron, en Nueva Zelanda, Akiko Diegel y Aase Fairbairn, y en Durban, Sudáfrica, Yusuf Patel, que me asistió con la realización final del trabajo.

In this project of the publication of Mireya Robles's paintings I was helped by several people who gave me practical assistance as well as ideas for improving the album. I am particularly grateful to Olaf Diegel who, in New Zealand, organised the technical aspect of the book. He was also the one who suggested using quotations from the literary works of Mireya Robles. Other people who gave me support were, in New Zealand, Akiko Diegel and Aase Fairbairn and in Durban, South Africa, Yusuf Patel, who helped me in the final stages of publication.

Anna Diegel

tristeza, con poca esperanza de resonancia en los demás. "Hago rombos de colores para ciegos/ sólo hablo a los que no pueden oírme / todos se acercan cuando estoy dormida" escribía Robles en un poema de 1973 (1). Podemos esperar que el arte de Mireya Robles, como el de Helen, cuya casa con sus extrañas estatuas, después de muchos años de olvido, se ha convertido en un museo cultural sudafricano, se dé a conocer y llegue a conmover a los que se le acerquen.

La temática de la obra pictórica de Mireya Robles se relaciona con la de su obra literaria. En esa obra, sea poesía, narración corta o novela, el personaje central padece de "mal de vivre", un desajuste con la vida que lo obliga a buscar escapatorias fuera de la rutina diaria, en la imaginación o en la creación artística. En la novela de Robles *Una mujer y otras cuatro*, la protagonista se refugia en los sueños – una hermosa casa entrevista desde la ventanilla de un autobús le sirve de escenario imaginario para la visión de una vida idílica con el ser amado. Narcisa, el personaje central de la novela *Hagiografía de Narcisa la bella*, edifica mágicas chimeneas de ladrillos, chimeneas por donde «saldrá el aire viciado que nos asfixia» (2). (En la pintura de Robles figuran muchos edificios, algunos simbolizando encierro, como « Trecho con edificios» (pág. 26), pero también una posibilidad de libertad, como las torres de «Volando hacia el cielo» (pág. 57) o la iglesia de «Con los brazos abiertos» (pág. 47). En otra novela de Robles, *La muerte definitiva de Pedro el Largo*, el héroe se desdobla en varios personajes dotados de

solitude and sadness and with little hope of finding a public. "I make coloured prisms for the blind/ I speak only to those who cannot hear me/ They all approach me when I sleep…" wrote Robles in a poem in 1973. (1) We may hope that the art of Mireya Robles, like that of Helen, whose house with its curious statues has now been rescued from oblivion and has become a South African cultural museum, will gain recognition and will move those who approach it.

The subject of Mireya Robles's paintings is related to that of her literary work. In this literature, whether it be poetry, short story or novel, the main figures suffer from "mal de vivre", from a kind of dissatisfaction with life that impels them to seek a way out of the routine of daily existence, through imagination or through artistic creation. In Robles's novel *Una mujer y otras cuatro* ("A woman and another four", yet unpublished in English) the protagonist finds refuge in dreams – a beautiful house glimpsed from the window of a bus serves as imaginary scene for an idyllic life with her loved one. Narcisa, the main character of the novel *Hagiografía de Narcisa la bella* (*Hagiography of Narcisa the Beautiful*, published in 1996), uses bricks to build magic chimneys to release "that stale air that is asphyxiating us" (2). (In Robles's painting there are many buildings, some symbolizing imprisonment, such as "Road with buildings" (p.26), others offering a possibility of escape, as for example "Flying toward heaven" (p.57).or the church in the painting titled "With open arms" (p.47). In another novel, *La muerte*

omnisapiencia o de facultad de vuelo, en un afán de escapar al encierro de su limitada condición humana. El sentido de encarcelamiento y de sofocación es también el tema de las pinturas. Pero al mismo tiempo, en muchos de los cuadros, se expresa un anhelo de alegría y de luz, una búsqueda que siempre fue la obsesión de Mireya Robles. Una de las tempranas revelaciones artísticas en la vida de Mireya Robles fue el descubrimiento de la pintura de Van Gogh. Desde el vacío cultural de una pequeña aldea de Cuba, en los años 50, Mireya Robles, joven aún, mandó a pedir a Estados Unidos un libro de reproducciones de la obra de Van Gogh, cuyas huellas, décadas más tarde, iría a visitar en la Provence, en las aldeas de Arles y St Rémy, los lugares donde el pintor fue a buscar el sol y pasó los años más intensos y productivos de su vida. También, Van Gogh generó uno de los personajes literarios de Robles, el héroe de *La muerte definitiva de Pedro el Largo* ("la novela más inmediata a mí", según una entrevista hecha a la escritora en 1991) (3) En la novela, Pedro el Largo nace mágicamente de «un dibujo de Van Gogh» (se trata del primer esbozo del cuadro titulado Anciano afligido (1891) como lo explicará Robles más tarde).

Como el contenido, el estilo de la pintura de Robles se asemeja al de Van Gogh. Igualmente, a veces recuerda, hablando en términos generales, el de los expresionistas, o más particularmente de artistas pre-expresionistas como Rouault o Modigliani, que tanto le debieron a Van Gogh. Se trata, principalmente, de representar las

definitiva de Pedro el Largo ("The final death of Pedro the Long", yet unpublished in English) the main character is split into various personalities that have the gift of omniscience or that can magically take flight to escape from the limits of their oppressive human condition. A sense of imprisonment and of suffocation is also the subject of most of the paintings. However, a number of the pictures express a yearning for joy and for light, which have always been an obsession in the work of Mireya Robles. One of the early artistic revelations in her life was her discovery of the art of Van Gogh. When she was still a young girl living in the cultural desert of a small town in Cuba, Mireya Robles sent a mail order to the United States for a copy of a book of reproductions of Van Gogh's paintings. Decades later, she would visit the traces of Van Gogh in Provence, in Arles and in St Rémy, the places where the painter went to seek the sun and where he spent the most intense and productive years of his life. In addition, Van Gogh's art was responsible for the creation of one of Robles's main literary characters, the hero of *La muerte definitiva de Pedro el Largo* ("the novel closest to my heart", according to a 1991 interview of Mireya Robles) (3). In that novel, Pedro el Largo (Pedro the Long) is born magically from "a Van Gogh drawing" (this refers to the first drawing made for the painting "Old man grieving" (1891), as Mireya Robles explained later).

The style of Robles's painting, like its subjects, is also reminiscent of Van Gogh's. It recalls, in a very general way, the work of the expressionists, and particularly, the art

labores para sobrevivir. De Miami se trasladó al estado de Nueva York, donde obtuvo un doctorado en letras hispánicas y trabajó como profesora . Estos años fueron los más fructíferos de su carrera literaria. Escribió cuatro novelas, la primera de las cuales, *Hagiografía de Narcisa la bella*, se publicó en 1985. A partir de 1985, Robles fue profesora de español en la Universidad de Natal en Durban, Sudáfrica, durante diez años. En esos años se dio a conocer su obra literaria, particularmente su novela *Hagiografía de Narcisa la bella*, que se comentó abundantemente en numerosos artículos académicos. Una versión inglesa de esta novela (*Hagiography of Narcisa the Beautiful*, traducida por Anna Diegel) apareció en 1996. Otras dos novelas de Robles se publicaron más tarde, *La muerte definitiva de Pedro el Largo* en 1998 y *Una mujer y otras cuatro* en 2004. En 1995 Mireya Robles tuvo que regresar definitivamente a Miami para cuidar a su madre. Sin embargo, la estancia en Sudáfrica la marcó profundamente: tal vez fue Durban para Robles lo que, originalmente, fue el sur de Francia para Van Gogh, una experiencia calmante y luminosa. Después de retirarse de la Universidad de Natal, Mireya Robles volvió con frecuencia a aquel país que amaba.

No existe una verdadera ruptura entre las vidas de Mireya Robles en Cuba, en los Estados Unidos o en Sudáfrica. En cada uno de esos países, según dice ella misma, llevó sus raíces consigo. Las raíces de Robles no son solamente la cubanía, sino también la indeleble identidad de una mujer

After that period of intense painting activity Mireya Robles gradually turned to literature. At first she wrote poetry and short stories, in the few free hours she had left after her unrewarding work. From Miami she moved to New York State, where she obtained a doctorate in Spanish literature and worked as a university lecturer. Those years were the most productive in her literary career. She wrote four novels, the first of which, *Hagiografía de Narcisa la bella*, was published in 1985. From 1985 and for the following ten years, Mireya Robles taught Spanish at the University of Natal in Durban, South Africa. During those years her literary work became well known, particularly her novel *Hagiografía de Narcisa la bella*, which became the subject of numerous critical articles in academic publications. An English version of this novel (*Hagiography of Narcisa the Beautiful*, translated by Anna Diegel) appeared in 1996. Two other novels of Mireya Robles were published later, *La muerte definitiva de Pedro el Largo* in 1998 and *Una mujer y otras cuatro* in 2004. In 1995 Mireya had to return to Miami for good, in order to look after her mother. Nevertheless, the years she spent in South Africa affected her profoundly. Durban was probably for Mireya Robles what the South of France was originally for Van Gogh, a soothing and luminous experience. After her retirement from the University of Natal, Mireya Robles returned frequently to South Africa, the country she loved.

There is no real break between the lives of Mireya Robles in Cuba, in the United States

que siempre se sintió aislada del mundo y que, por eso, en cada lugar donde vivió, se dedicó a crear. Por la misma razón, no hay discontinuidad entre la pintura y la literatura de Mireya Robles. En ambos casos, no se trata de una descripción pasiva de la naturaleza ambiente o humana, sino de reflejar poderosas emociones personales y de buscar un sentido oculto en la existencia. Es imposible no notar el contenido cristiano de muchas de las pinturas de Robles: iglesias, cruces, Cristos sufridos, monjes, temas que indican una búsqueda espiritual. La literatura de Mireya Robles parece una continuación de su arte pictórico: lo que, en la pintura era un ansia espiritual de carácter religioso se convierte, en la literatura, en una búsqueda de un más allá esotérico, que lleva a la artista hasta al realismo mágico de *La muerte definitiva de Pedro el Largo*.

Generalmente hablando, las pinturas de Robles se pueden dividir en dos grupos: uno de ellos representa rostros y figuras humanas, y el otro edificios y cuartos. En ambos casos, como en la pintura de Van Gogh y la de los expresionistas, los colores siguen un código arbitrario, y subrayan, simbólicamente, el estado de ánimo de la artista. Hay rostros, desnudos y edificios azules, y en otros predomina el color rojo. Probablemente tengan estas selecciones de colores un valor simbólico, como para Van Gogh lo tenía el uso del azul, el color de la infinidad o el amarillo, el de la alegría. Como los colores de Van Gogh, los de Robles son todos básicos y puros. La fuerza de cada obra está contenida, principalmente, en la interacción de estos

or in South Africa. In each one of these countries, as she said herself, she took her roots with her. The roots of Mireya Robles are not only her Cuban birth, but also the indelible identity of a woman who always felt isolated from the rest of the world and who for this reason turned to creation, wherever she lived. For the same reason, there is no discontinuity between the painting and the literature of Mireya Robles. In both cases the aim of creation is not a passive description of natural or human surroundings, but a reflection of powerful personal emotions and a search for hidden meaning in life. It is impossible not to notice the Christian subject of many of Robles's paintings: churches, crosses, tormented Christ-like faces, subjects that indicate a yearning for spiritual meaning. The literature of Mireya Robles seems a continuation of her painting: whereas there the longing for spiritual truth had a religious character, in Robles's literature, the search takes her in a more esoteric direction, as seen in the magical realism of the novel *La muerte definitiva de Pedro el Largo*.

Generally speaking, Robles's paintings can be divided into two groups: one of them represents human faces and figures and the other buildings or rooms. In both cases, as in Van Gogh's paintings and in that of the expressionists, the colours follow an arbitrary code and symbolically underline the state of mind of the artist. Some faces, nudes or buildings are blue, while in others the colour red predominates. These choices probably have symbolic significance, as the case of the paintings of Van Gogh, who saw blue as the colour of infinity and yellow as

colores. Por ejemplo, en el cuadro «Mujer atrapada, pero saldrá» (pág. 34), la figura central negruzca está encerrada en un capullo naranja, el cual está rodeado por una capa azul brillante, ésta, tal vez, sugiriendo la posibilidad de salida.

En cuanto al dibujo, tampoco se trata de una descripción naturalista, sino de composiciones compactas y primitivistas, donde los rasgos se reducen a lo esencial. En las caras humanas, las formas están alargadas, y frecuentemente se ven ojos exageradamente inclinados oblícuamente para abajo. Estas caras expresan sufrimiento o angustia ante una situación sin salida como en la « Imagen (1)» (pág. 22) y la «Monja con lágrimas negras» (pág. 40). Los cuerpos humanos, muchas veces, están encogidos en posición fetal, algunos con miembros incompletos, para dar solamente una visión parcial de la figura. En el dibujo de las caras y de las figuras humanas, unos gruesos contornos negros las separan del mundo exterior, recordándonos, en cierta forma, las figuras de vitrales. El fondo de las pinturas humanas consiste, frecuentemente, en un torbellino de líneas circulares que rodean la figura central, como en «Así soy (1)» (pág. 52), sugiriendo la movilidad del mundo exterior que la excluye. De vez en cuando aparecen superficies de pura luminosidad, como una flor, un sol o una tela de araña. Otra vez, las líneas circulares sugieren movimiento y vida.

En las pinturas de edificios, siempre sin personajes, predominan, al contrario, las

the colour of joy. Mireya Robles's colours, like Van Gogh's, are all pure basic colours. The impact of each painting depends mostly on the interaction of these colours. For instance in the painting "Trapped Woman, but there is a way out" (p. 34), the blackish figure is surrounded by an orange cocoon, which is in turn framed by a bright blue surface, suggesting, perhaps, a possibility of a "way out".

As for drawing, again we are not seeing a realistic description of nature, but a series of compact and primitivistic compositions in which features are reduced to essentials. In the human faces, shapes are elongated and the corners of the eyes are often exaggeratingly inclined obliquely downwards. These faces express pain or anguish before a hopeless situation, as in "Image (1)" (p. 22) and "Nun with black tears" (p. 40). Human bodies are often huddled in a fetal position and some have incomplete arms or legs, showing only a partial view of the figure. In the drawing of human faces or figures, a thick black contour separates them from the external world, reminding, in some way, of figures in stained-glass windows. The background of the paintings depicting humans often consists of a whirl of circular lines that surround the central figure, as in "That's the way I am (1)" (p. 52), suggesting the mobility of an outside world that excludes her. Once in a while there are surfaces of pure luminosity, such as a flower, a sun or a cobweb. Once more, circular lines suggest movement and life.

líneas rectas. Los paisajes urbanos o las casas no se conforman a las leyes de la perspectiva y varían según el mensaje emocional del cuadro. La mayor parte del tiempo, Robles usa líneas rectas que convergen dramáticamente en ángulos agudos, sugiriendo encerramiento o soledad infinita. Se trata aquí de una arquitectura fantástica que a veces recuerda los escenarios de las películas mudas de los años 20 que mucho admiraba Mireya Robles. Por ejemplo, los cuadros «Solitarios del silencio» (pág. 23) o «Edificios en rojo» (pág. 24) podrían ser parte del escenario de la «Metrópolis» de Fritz Lange, con sus rascacielos que transmitían un sentido de alienación provocado por una ciudad moderna. En algunas pinturas, sin embargo, las líneas de la perspectiva son divergentes, como en el edificio de « Con los brazos abiertos » (pág 47), indicando libertad y una abundancia de emoción generosa. De vez en cuando, los edificios se elevan en una perspectiva totalmente fantástica, como las torres inclinadas de «Volando hacia el cielo» (pág. 57). Una vez más, los títulos son una guía en la comprensión de las pinturas.

Sin embargo, estos títulos no señalan una metáfora o un programa ideológico como los de los enigmáticos cuadros de, digamos, un Mark Rothko o un Jackson Pollock. El arte de Mireya Robles es pre-moderno, pre-abstracto, y sus figuras y sus edificios poseen una sólida materialidad. Una catedral distorcionada sigue siendo una catedral, como, en la pintura de Van Gogh, la "Iglesia en Auvers", con sus contornos irregulares, sigue siendo iglesia. Por eso, el

The pictures of buildings, always empty of human figures, consist on the contrary mostly of straight lines. These urban landscapes do not follow the laws of perspective and their composition varies according to the mood that is being transmitted. Most of the time Robles uses straight lines that converge sharply and dramatically, suggesting either confinement or isolation. We are dealing here with an architecture of the fantastic which at times recalls the silent films of the twenties that Mireya Robles admired. For example, the paintings "Solitaires of silence" (p. 23) or "Red buildings" (p. 24) could be part of the set for Fritz Lange's "Metropolis", with its skyscrapers conveying the sense of alienation provoked by a modern city. Yet, in a few of the paintings, the straight lines are divergent, as in the building of "With open arms" (p. 47), indicating freedom or overflowing generous emotion. Once in a while the buildings rise in a totally fantastic perspective, such as the leaning towers in "Flying toward heaven" (p. 57). Once more, the titles are a guide in the interpretation of the pictures.

Nevertheless, these titles do not point to a metaphor or to an ideological programme, like those of the enigmatic paintings of, say, a Mark Rothko or a Jackson Pollock. The art of Mireya Robles is pre-modern, pre-abstract and her figures and her buildings have a solid materiality. A distorted cathedral is still a cathedral, just as in Van Gogh's painting "A church in Auvers", the church with its irregular contour is still a church. For this reason the world of Mireya Robles seems familiar and it is easy for us

mundo de Mireya Robles nos parece familiar y nos es fácil encontrar influencias, comparaciones y paralelos con corrientes artísticas conocidas. La pintura de Van Gogh, los expresionistas, el cine mudo, sí, nutrieron el alma y el arte de Mireya Robles. Sin embargo, la pintora ha absorbido y destilado estas influencias en una forma muy personal, y ha creado una serie de obras de carácter único. Hubiera Mireya Robles podido pronunciar las palabras de Anaïs Nin, otra creadora que la acompañó en momentos de soledad y de tristeza: "No quiero ser turista en el mundo de las imágenes, o solamente mirar imágenes o pasar al lado de ellas sin poder vivir en ellas, hacer el amor con ellas, y poseerlas como fuentes permanentes de alegría y éxtasis". (4)

to discover influences, comparisons and parallels with well-known artistic currents. The paintings of Van Gogh, the expressionists, the silent films of the twenties did indeed nourish the soul and the art of Mireya Robles. Yet, the painter has absorbed and distilled these influences in a very personal way and has created a series of works with a unique character. Mireya Robles herself could have pronounced the words of Anaïs Nin, another artist whose work comforted her in moments of solitude and sadness: "I will not be a tourist in the world of images, just watching images passing by which I cannot live in, make love to, possess as permanent sources of joy and ecstasy." (4)

Anna Diegel

Durban, 2006

Bibliografía / Bibliography :

(1) Mireya Robles, **Tiempo artesano**, Barcelona: Editorial Campos, 1973

(2) Mireya Robles, **Hagiografía de Narcisa la bella**, La Habana: Editorial Letras Cubanas, 2002

(3) Francisco Soto, "Mireya Robles: una cubana en Sudáfrica", Princeton, N.J: Linden Lane Magazine, Vol. X No. 4, 1991

(4) Anaïs Nin, **The Diary of Anaïs Nin** 1947-1955, vol 5, New York: Harvest Books, 1975

Obras de Mireya Robles / Works by Mireya Robles:

Tiempo artesano, Poemas, Barcelona: Editorial Campos, 1973.

En esta aurora, Poemas, San Antonio, Texas: M & A Editions, 1978.

Hagiografía de Narcisa la bella, La Habana: Editorial Letras Cubanas, 2002.

Hagiography of Narcisa the Beautiful, translated by Anna Diegel, London: Readers International, 1996.

La muerte definitiva de Pedro el Largo, Mexico: Lectorum, 1998.

Una mujer y otras cuatro, Puerto Rico: Plaza Mayor, 2004.

The quotations from Mireya Robles's works have been translated by Anna Diegel.

Quisiera ser un amerindio. Pintura mixta en tela sobre cartulina 18" x 24"
I wish I were an American Indian. Mixed paint on canvas over board 46cm x 61cm
Pintora: Mireya Robles -- Foto: Bárbara Pérez

… empecé a pintar a raíz de su partida, febrilmente, desperadamente, a veces por noches enteras, impulsada por un afán de salvar algo, de salvarme de la inutilidad de horas de oficina...

… I started painting just after she left, feverishly, desperately, sometimes through the whole night, impelled by the need to rescue something, to rescue myself from those useless hours in the office…

Una mujer y otras cuatro

Pensando. Pintura mixta en tela sobre cartulina 20" x 24"
Thinking. Mixed paint on canvas over board 51cm x 61cm
Pintora: Mireya Robles -- Foto: Bárbara Pérez

Leyendo. Pintura mixta en cartulina 28" x 40"
Reading. Mixed paint on board 72cm x 102cm
Pintora: Mireya Robles -- Foto: Bárbara Pérez

21

Imagen (1). Tinta en cartulina 22" x 28"
Image (1). Ink on board 56cm x 72 cm
Pintora: Mireya Robles -- Foto: Bárbara Pérez

... por sentir que de mis manos salían explosiones de colores, seres tristes, casas misteriosas, un pequeño mundo en el cual se iba abriendo un lugar para mí...

...to feel that explosions of colour were coming out of my hands, sad faces and mysterious houses, a small world where a place for me would be waiting …

Una mujer y otras cuatro

Solitarios del silencio. Tinta en cartulina 22" x 28"
Solitaires of silence. Ink on board 56cm x 72cm
Pintora: Mireya Robles -- Foto: Bárbara Pérez

23

Edificios y antenas. Tinta en cartulina 28" x 44"
Buildings and antennas. Ink on board 72cm x 112cm
Pintora: Mireya Robles -- Foto: Bárbara Pérez

Edificios en rojo. Tinta en cartulina 22" x 28"
Red buildings. Ink on board 56cm x 72cm
Pintora: Mireya Robles -- Foto: Bárbara Pérez

Cuevas. Tinta en cartulina 22" x 28"
Caves. Ink on board 56cm x 72cm
Pintora: Mireya Robles -- Foto: Bárbara Pérez

… se habían roto las leyes del espacio, de que mi casa era la de Guantánamo, pero el pueblo era otro, era un pueblo americano, moderno, el sol muy amarillo, todo brilla amarilleando...

... spatial laws had ceased to exist, my house was still the house in Guantánamo, but it was now in another city, a modern American city and the sun is very yellow, everything is shining yellow …

Una mujer y otras cuatro

Divisé una callejuela entre dos edificios raídos y altos. Me adentré en ella. Me sentí por vez primera con una fortaleza gigante, hercúlea, capaz de llevar sobre mí un destino que por primera vez era mío.

I noticed an alley between two high dilapidated buildings. I started walking there. For the first time I felt a huge strength in me, a herculean strength that would enable me to assume a fate that was mine for the first time.

Cuento: « Y la luz se hizo »

Puente con edificios (2). Tinta en cartulina 22" x 28"
Bridge with buildings (2). Ink on board 56cm x 72cm
Pintora: Mireya Robles -- Foto: Bárbara Pérez

Trecho con edificios. Tinta en cartulina 22" x 28"
Road with buildings. Ink on board 56cm x 72cm
Pintora: Mireya Robles -- Foto: Bárbara Pérez

Desde mi cueva. Pintura mixta en cartulina 22" x 28"
From within my cave. Mixed paint on board 56cm x 72cm
Pintora: Mireya Robles -- Foto: Bárbara Pérez

En lo mío. Pintura mixta en cartulina 28" x 44"
In my own thoughts. Mixed paint on board 72cm x 112cm
Pintora: Mireya Robles -- Foto: Bárbara Pérez

Contemplación. Tinta en cartulina 22" x 28"
Contemplation. Ink on board 56cm x 72cm
Pintora: Mireya Robles -- Foto: Bárbara Pérez

27

Nunca podría rechazar a esa mujer
que viene por el largo camino
con su verdad entre los dientes
con su verdad azul como un trapo virgen …

I could never reject that woman
who comes to me on the long road
with her truth between her teeth
with her blue truth like a virgin rag …

En esta aurora

Desnudo en azul (2). Pintura mixta en cartulina 40" x 60"
Blue nude (2). Mixed paint on board 102cm x 154cm
Pintora: Mireya Robles -- Foto: Bárbara Pérez

Desnudo en azul (3). Pintura mixta en tela 38" x 48"
Blue nude (3). Mixed paint on canvas 97cm x 122cm
Pintora: Mireya Robles -- Foto: Bárbara Pérez

Desnudo en azul (1). Pintura mixta en cartulina 28" x 44"
Blue nude (1). Mixed paint on board 72cm x 112cm
Pintora: Mireya Robles -- Foto: Bárbara Pérez

No me resigno. Pintura mixta en cartulina 22" x 28"
I can't resign myself. Mixed paint on board 54cm x 72cm
Pintora: Mireya Robles -- Foto: Bárbara Pérez

No resisto
el peso
de mis brazos vacíos
No acepto, no transijo:
me niego a la nada
Me niego al no enorme
Me niego al no
repetido y eterno
sin materia de Cristo,
sin materia de mártir
me niego al no
absoluto y rotundo
Me deshago
en mi contorno:
me reduzco,
me contrahago,
me contradigo
en el planeta cero
donde no existes,
donde no brota el verso

I cannot stand
the weight
of my empty arms
I do not accept, I do not compromise:
I refuse nothingness
I refuse the enormous no
the eternally repeated no
not being Christ
not being a martyr
I refuse the no
the absolute and final no
Within my frame
I dissolve,
I shrink
I counterfeit myself
I contradict myself
in the zero planet
where you do not exist
where no verse can grow

Tiempo artesano

31

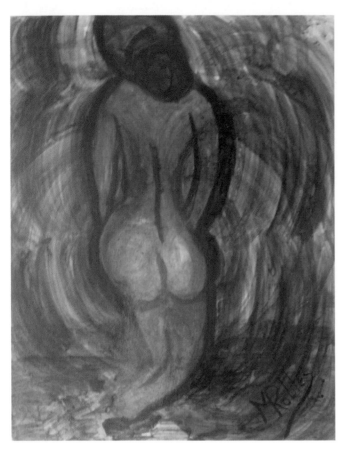

Desnudo en rojo. Tinta en cartulina 22" x 28"
Red nude. Ink on board 56cm x 72cm
Pintora: Mireya Robles -- Foto: Bárbara Pérez

Mujer en azul. Pintura mixta en cartulina 22" x 28"
Blue woman. Mixed paint on board 56cm x 72cm
Pintora: Mireya Robles -- Foto: Bárbara Pérez

Mujer reposando en su brazo. Tinta en cartulina 22" x 28"
Woman resting on her arm. Ink on board 56cm x 72cm
Pintora: Mireya Robles -- Foto: Bárbara Pérez

No molesten. Pintura mixta en cartulina 30" x 39"
Leave me alone. Mixed paint on board 76cm x 100cm
Pintora: Mireya Robles -- Foto: Bárbara Pérez

Mujer atrapada, pero saldrá. Pintura mixta en cartulina 22" x 28"
Trapped woman, but there is a way out. Mixed paint on board 56cm x 72cm
Pintora: Mireya Robles -- Foto: Bárbara Pérez

… porque no hay crimen mayor que la tristeza, porque no hay monstruo mayor que la falta de alegría...

... for there is no worse crime than sadness, no worse monster than the lack of joy...

La muerte definitiva de Pedro el Largo

34

Quieren volar. Tinta en cartulina 22" x 28"
They want to fly. Ink on board 56cm x 72cm
Pintora: Mireya Robles -- Foto: Bárbara Pérez

Cruz en espacio semiabierto (2) . Tinta en cartulina 30" x 40"
Cross in semi-open space (2). Ink on board 76cm x 102cm
Pintora: Mireya Robles -- Foto: Bárbara Pérez

Monje. Pintura mixta en cartulina 22" x 28"
Monk. Mixed paint on board 56cm x 72cm
Pintora: Mireya Robles -- Foto: Bárbara Pérez

En la ermita. Tinta en cartulina 19" x 28"
In the hermitage. Ink on board 48cm x 72cm
Pintora: Mireya Robles -- Foto: Bárbara Pérez

36

No más. Pintura mixta en cartulina 28"x 44"
That's enough. Mixed paint on board 72cm x 112cm
Pintora: Mireya Robles -- Foto: Bárbara Pérez

Aquí estaremos. Tinta y carbón en cartulina 28" x 44"
We will be here. Ink and charcoal on board 72cm x 112cm
Pintora: Mireya Robles -- Foto: Bárbara Pérez

Sólo el verbo-aliento
y un anhelo
colgando en el aire
descifrando la muerte
de nuestra soledad.

... Only our word-breathing
and a yearning
floating in the air
deciphering the death
of our solitude.

En esta aurora

Mejicana. Pintura mixta en cartulina 22" x 28"
Mexican woman. Mixed paint on board 56cm x 72cm
Pintora: Mireya Robles -- Foto: Bárbara Pérez

Madona de la guerra. Pintura mixta en cartulina 28" x 44"
War Madonna. Mixed paint on board 72cm x 112cm
Pintora: Mireya Robles -- Foto: Bárbara Pérez

Madre felina. Tinta en cartulina 22" x 28"
Feline mother. Ink on board 56cm x 72cm
Pintora: Mireya Robles -- Foto: Bárbara Pérez

Te cuido. Tinta y carbón en cartulina 28" x 44"
I will take care of you. Ink and charcoal on board 72cm x 112cm
Pintora: Mireya Robles -- Foto: Bárbara Pérez

Monja con lágrimas negras. Tinta en cartulina 22" x 28"
Nun with black tears. Ink on board 56cm x 72cm
Pintora: Mireya Robles -- Foto: Bárbara Pérez

Me conocerás. Tinta en tela 22" x 28"
You will know who I am. Ink on canvas 56cm x 72cm
Pintora: Mireya Robles -- Foto: Bárbara Pérez

Quisiera ser Alhambra. Tinta y carbón en cartulina 11" x 16"
I wish I could be the Alhambra. Ink and charcoal on board 28cm x 40cm
Pintora: Mireya Robles -- Foto: Bárbara Pérez

... un esfuerzo blando y silencioso
   por tocar la otra orilla
   Donde esperen labios a los que nadie
   haya podido infundirles
   el frío de la vida
   Donde esperen miradas
   cuajadas de silencio
   y se llenen de flores
   los gajos del Tiempo.

Tiempo artesano

... a gentle and silent effort
   to reach the other side
   Where lips are waiting
   that have never known
   the coldness of life
   Where eyes are waiting
   eyes filled with silence
   and where the dry branches of Time
   will bloom again.

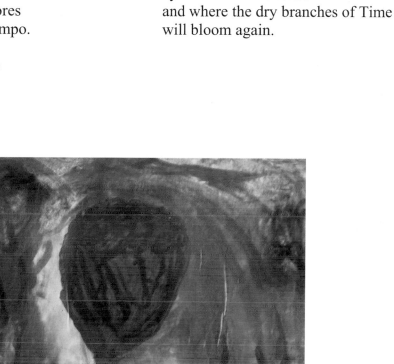

Flor. Pintura mixta en cartulina 28" x 40"
Flower. Mixed paint on board 72cm x 102cm
Pintora: Mireya Robles -- Foto: Bárbara Pérez

Desnudo en torbellino. Tinta y carbón en cartulina 28" x 44"
Whirlwind nude. Ink and charcoal on board 72cm x 112cm
Pintora: Mireya Robles -- Foto: Bárbara Pérez

Mujer. Tinta en cartulina 28" x 44"
Woman. Ink on board 72cm x 112cm
Pintora: Mireya Robles -- Foto: Bárbara Pérez

Sol volcánico. Pintura mixta en cartulina 22" x 28"
Volcanic sun. Mixed paint on board 56cm x 72cm
Pintora: Mireya Robles -- Foto: Bárbara Pérez

Retrato de una desconocida. Pintura mixta en cartulina 22" x 28"
Portrait of an unknown woman. Mixed paint on board 56cm x 72cm
Pintora: Mireya Robles -- Foto: Bárbara Pérez

Mujer felina. Tinta en cartulina 22" x 28"
Feline woman. Ink on board 56cm x 72cm
Pintora: Mireya Robles -- Foto: Bárbara Pérez

… La mujer con ojos de cartaginesa miraba hacia el mar, y su mirada se extendía por muchos siglos...

…The woman with Carthaginian eyes was gazing at the sea and her glance was reaching back to many centuries….

Cuento : «En la otra mitad del tiempo»

Extraña pagoda con puente colgante. Tinta en cartulina 22" x 28"
Strange pagoda with suspension bridge. Ink on board 56cm x 72cm
Pintora: Mireya Robles -- Foto: Bárbara Pérez

Pudiera ser la Iglesia de Santa Catalina. Tinta en cartulina 11" x 17"
This could be the St. Catalina church. Ink on board 28cm x 44cm
Pintora: Mireya Robles -- Foto: Bárbara Pérez

En Oriente, tal vez. Tinta en cartulina 10"x13"
In the Orient, maybe. Ink on board 26cmx34cm
Pintora: Mireya Robles -- Foto: Bárbara Pérez

Puente con edificios . Tinta en cartulina 22" x 28"
Bridge with buildings (1). Ink on board 56cm x 72cm
Pintora: Mireya Robles -- Foto: Bárbara Pérez

Edificios (1). Pintura mixta en masonite. 17" x 22"
Buildings (1). Mixed paint on masonite 44cm x 56cm
Pintora: Mireya Robles -- Foto: Bárbara Pérez

Edificios (3). Pintura mixta en cartulina 28" x 44"
Buildings (3). Mixed paint on board 72cm x 112cm
Pintora: Mireya Robles -- Foto: Bárbara Pérez

Edificios (2). Pintura mixta en masonite 13" x 28"
Buildings (2). Mixed paint on masonite 34cm x 72cm
Pintora: Mireya Robles -- Foto: Bárbara Pérez

46

Con los brazos abiertos. Tinta en cartulina 22" x 28"
With open arms. Ink on board 56cm x 72cm
Pintora: Mireya Robles -- Foto: Bárbara Pérez

Retrato de un desconocido. Tinta en cartulina 22" x 28"
Portrait of an unknown man. Ink on board 56cm x 72cm
Pintora: Mireya Robles -- Foto: Bárbara Pérez

Niño esperando. Pintura mixta en masonite 12" x 16"
Waiting child. Mixed paint on masonite 30cm x 40cm
Pintora: Mireya Robles -- Foto: Bárbara Pérez

Retrato de mujer conocida. Tinta y carbón en cartulina 40" x 60"
Portrait of an acquaintance. Ink and charcoal on board 102cm x 154cm
Pintora: Mireya Robles -- Foto: Bárbara Pérez

Tela de araña. Tinta en cartulina 22" x 28"
Cobweb. Ink on board 56cm x 72cm
Pintora: Mireya Robles -- Foto: Bárbara Pérez

...si la telaraña fuera de hierro casi haría los dibujos de las rejas del comedor del patio, las rejas de aquella ventana, la casa de aquel pueblo que ya vive fuera del espacio, fuera de los límites de aquella región, porque en aquella región, ya murió este pueblo que vive en el hueco de mi memoria...

.. if the cobweb were made of iron, it would almost look like the pattern of the grates of the dining room on the back porch, like the grates of that window in the house in that city that is now beyond space, beyond the limits of that region, for that city that lives within my memory is already dead…

Cuento : "El tren"

Espacio semiabierto con iglesia al fondo. Tinta en cartulina 22" x 28"
Half-open space with church in the background. Ink on board 56cm x 72cm
Pintora: Mireya Robles -- Foto: Bárbara Pérez

Sala con escalera musical. Tinta en cartulina 22" x 28"
Room with musical staircase. Ink on board56cm x 72cm
Pintora: Mireya Robles -- Foto: Bárbara Pérez

Si supieras. Pintura mixta en cartulina 22" x 28"
If you only know. Mixed paint on board 56cm x 72cm
Pintora: Mireya Robles -- Foto: Bárbara Pérez

Te esperaba
en el mundo de la forma
y tu sombra escapaba
de mis manos
hacia la orilla ignota del misterio

I waited for you
in the world of shapes
and your shadow was escaping
from my hands
toward unknown and mysterious shores

En esta aurora

Así soy (1). Pintura mixta en cartulina 22" x 28"
That's how I am (1). Mixed paint on board 56cm x 72cm
Pintora: Mireya Robles -- Foto: Bárbara Pérez

Así soy (2). Pintura mixta en cartulina 22" x 28"
That's the way I am (2). Mixed paint on board 56cm x 72cm
Pintora: Mireya Robles -- Foto: Bárbara Pérez

Llego a ti
desarraigada
ciudadana trashumante
de la piel del mundo
apagas en tu sombra-esencia
el martilleo de mi herida
he de seguir otros caminos
he de buscarte en el ángulo exacto
de la voz del río
he de buscarte
en el perfume sutil
de la pradera
he de buscarte
en esa noche ajena
en que tu sombra distante
se una
a mi silencio.

I come to you
uprooted
a transhumant citizen
of the skin of the world
with your shadow-essence you deafen
the hammering in my wound
I must follow other roads
I must look for you in the exact angle
of the voice of the river
I must look for you
in the subtle perfume
of the meadow
I must look for you
in that alien night
when your distant shadow
will join
my silence.

Tiempo artesano

Casas en azul. Tinta en cartulina 22" x 28"
Blue houses. Ink on board 56cm x 72cm
Pintora: Mireya Robles -- Foto: Bárbara Pérez

Iglesia de pueblo. Tinta y carbón en cartulina 11" x 17"
Village church. Ink and charcoal on board 28cm x 44cm
Pintora: Mireya Robles -- Foto: Bárbara Pérez

Capitolio o jaula con iluminación. Tinta en cartulina 22" x 28"
Capitol or cage with illumination. Ink on board 56cm x 72cm
Pintora: Mireya Robles -- Foto: Bárbara Pérez

Así soñé tu casa de Marianao. Tinta en cartulina 10" x 13"
This is how I imagined your house in Marianao. Ink on board 26cm x 34cm
Pintora: Mircya Robles -- Foto: Bárbara Pérez

...Y la alfombra amarilla no está sola
si desde aquí
me detengo a detener el tiempo
y esperarte.

...And the yellow carpet is not alone
if from here
I halt and I stop time
and I wait for you.

En esta aurora

Aquí viví hace tres siglos. Ink on board 11" x 14"
I lived here three centuries ago. Ink on board 28cm x 36cm
Pintora: Mireya Robles -- Foto: Anna Diegel

55

...El tiempo no vivido
se agita fuertemente
en las cien mil entrañas
del alma
Y un eco gigante
como de un Dios
poderoso y temible
me retumba dentro
Y las mil ondas sonoras
del futuro
serpenteantes y terribles
me anillan
las manos
los brazos
el corazón...

...Time not lived
stirs violently
in the hundred thousand bowels
of the soul
And a giant echo
like the echo
of a powerful and frightening God
thunders within me
And the thousand resounding waves
of the future
meandering, awesome
tie rings
around my hands
around my arms
around my heart…

Tiempo artesano

Una sala que no habité. Tinta en cartulina 22" x 22"
A room where I did not live. Ink on board 56cm x 56cm
Pintora: Mireya Robles -- Foto: Bárbara Pérez

Mujer en su sala de Sudáfrica. Tinta en cartulina 20" x 25"
Woman in her room in South Africa. Ink on board 52cm x 64cm
Pintora: Mireya Robles -- Foto: Bárbara Pérez

Volando hacia el cielo. Pintura mixta en cartulina 22" x 28"
Flying toward heaven. Mixed paint on board 56cm x 72cm
Pintora: Mireya Robles -- Foto: Bárbara Pérez

Narcisa permaneció en la cuna con una inmovilidad atenta invadida ya, y de nuevo, por la conciencia de su propia respiración; los ojos abiertos, fijos en la pared, fueron descubriendo las líneas de tinta con los rasgos del monstruo metidas en el lienzo empotrado en la pared; a su lado, otro lienzo poblado de líneas negras que sostenían a otro monstruo; y a su lado, otro, y después, otro más, hasta enfilarse los cuatro en una hilera horizontal; las caras monstruosas, desgarradoras, comenzaron a rodear la cuna y pedirle cuentas de sus actos...

Narcisa remained in her cot, motionless and she was now conscious of her own breathing; her eyes were wide open, staring at the wall and gradually they started noticing lines traced in ink that revealed the features of the monster in a painting that was embedded in the wall; next to it, another painting whose black lines were tracing another monster; and next to it, another monster, and still another, until all four of of them aligned themselves in a horizontal sequence; those monstrous, bloodcurdling faces began to surround her cot, demanding that she account for her actions...

Hagiografía de Narcisa la bella

En 1985, Mireya Robles publicó la novela *Hagiografía de Narcisa la bella*, un relato que trata de la opresión familiar y de la estrechez de miras en el medio ambiente de la pequeña –burguesía cubana en los años cincuenta. Estos cuadros son una introducción a la obra.

In 1985 Mireya Robles published her novel *Hagiografía de Narcisa la bella*, a story about the narrow-mindedness and the oppressive power of the family in the Cuban lower middle-class during the fifties. These pictures are an introduction to the novel.

Antesala a Narcisa. Pintura mixta en tela sobre cartulina 12 " x 16"
Anteroom for Narcisa. Mixed paint on canvas over board 30cm x 40cm
Pintora: Mireya Robles -- Foto: Bárbara Pérez

Narcisa. Tinta en tela 30" x 40"
Narcisa. Ink on canvas 76cm x 102cm
Pintora: Mireya Robles -- Foto: Bárbara Pérez

Sin ti. Tinta en cartulina 20" x 25"
Without you. Ink on board 52cm x 64cm
Pintora: Mireya Robles -- Foto: Anna Diegel

…Un gajo independiente, suelto, ajeno al clan de los autómatas que no se comunican.

...An independent branch, loose, alien to the clan of those automatons that do not communicate with each other.

Cuento : « Los bañistas »

El ser luminoso abría las manos en abanico, separando los dedos hechos de ramas secas, incandescentes. Intensificó, de pronto, la angustia de su gesto, y emitió un eco : « La salvación es el equilibrio entre el automatismo que nos aprisiona y esa vida recóndita que se llama dolor ».

The luminous being opened its hands like a fan, separating his fingers made of incandescent dry twigs. The gesture suddenly became more intensely anguished and an echo could be heard: "Salvation is the balance between the automatism that imprisons us and that secret life that is called pain".

Cuento : « El desfile »

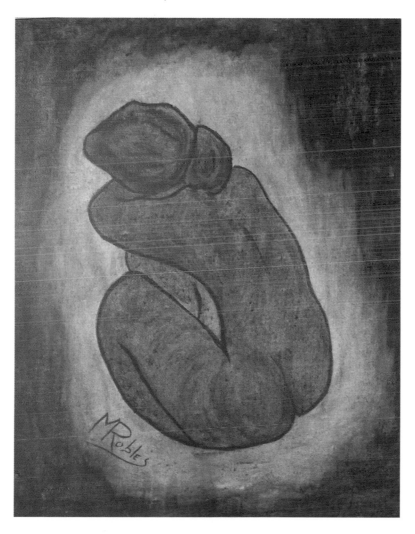

Mujer iluminada. Tinta en tela 25" x 29"
Illuminated woman. Ink on canvas 64cm x 74cm
Pintora: Mireya Robles -- Foto: Bárbara Pérez

61

El viejo. Tinta en tela 22" x 28"
The old man. Ink on canvas 56cm x 72cm
Pintora: Mireya Robles -- Foto: Mireya Robles

...y ya soy colores, y sigo desobedeciendo, desobedeciéndote, van Gogh, y levanto un poco la cabeza, las manos ahora colocadas a cada lado de las comisuras de los labios, para dejar los ojos libres, para que quedes allí, old man grieving, hombre de grafito, y en mi piel durazno, inmóvil, los ojos libres para ver pasar el universo

...and now I am colours, and I keep disobeying, disobeying you, van Gogh, and I raise my head a little, with my hands now placed on each corner of my lips so as to let my eyes be free, so you will remain there, old man grieving, man made of graphite, and in my peach-coloured skin, motionless, my eyes free to see the universe passing by

La muerte definitiva de Pedro el Largo

Me había acostumbrado
a los latidos
la semioscuridad
el acto de alimentarme
por el hueco del ombligo
pero sonó la hora
                    una contracción
                    y otra
y me sentí girando
en mi acurrucamiento
Las fuerzas empujaban
mi cabeza
que rompió los líquidos
y los hilos del tiempo
El aire sorpendió
mi cara
y oí mi primer grito
que se quedó colgado
para siempre
a mi piel.

I had become accustomed
to the beating of the heart
the semi-darkness
the action of feeding myself
from the hollow of my navel
but the hour struck
                    a contraction
                    and another
and I found myself whirling
curled up in my own space
Forces were pushing
my head
that broke the waters
and the threads of time
The air caught
my face
and I heard my first scream
that remained suspended
forever
from my skin.

Printed by Impress Printers, Durban, South Africa